JN100757

こども哲学

自由って、なに？

小学校で哲学をやってみたいというわたしたちの夢を実現してくれたナンテール市に、
こんないきあたりばったりの冒険にいっしょに乗りだしてくれた先生たちに、
そして、いっしょうけんめい知恵をしぼって、ことばに生命をふきこんでくれたナンテールのこどもたちに、
この場をかりてお礼を言います。

みなさん、どうもありがとう。

そして、かけがえのない協力者であるイザベル・ミロンにも、心からの感謝を。

Oscar Brenifier : “La liberté, c’est quoi?”
Illustrated by Frédéric Rébéna

This book is published in Japan by arrangement with NATHAN/SEJER,
through le Bureau des Copyrights Français, Tokyo.

こども哲学

自由って、なに？

文：オスカー・ブルニフィエ
絵：フレデリック・レベナ
訳：西宮かおり

日本版監修：重松清

朝日出版社

何か質問はありますか？
なぜ質問をするのでしょう？

こどもたちのあたまのなかは、いつも疑問でいっぱいです。
何をみても何をきいても、つぎつぎ疑問がわいてきます。とてもだいじな疑問もあります。
そんな疑問をなげかけられたとき、わたしたちはどうすればいいのでしょう？
親として、それに答えるべきでしょうか？
でもなぜ、わたしたちおとなが、こどもにかわって答えをだすのでしょう？

おとなの答えなどいらない、というわけではありません。
こどもが答えをさがす道のりで、おとなの意見が道しるべとなることもあるでしょう。
けれど、自分のあたまで考えることも必要です。
答えを追いかけ、自分の力であらたな道をひらいてゆくうちに、
こどもたちは、自分のことを自分で決める判断力と責任感とを身につけてゆくのです。

この本では、ひとつの問いに、いくつもの答えがだされます。
わかりきったことのように思われる答えもあれば、はてなとあたまをひねるふしぎな答え、
あっと驚く意外な答えや、途方にくれてしまうような答えもあるでしょう。
そうした答えのひとつひとつが、さらなる問いをひきだしてゆくことになります。
なぜって、考えるということは、どこまでも限りなくつづく道なのですから。

このあらたな問いには、答えがでないかもしれません。
それでいいのです。答えというのは、無理してひねりだすものではないのです。
答えなどなくても、わたしたちの心をとらえてはなさない、そんな問いもあるのです。
考えぬくに値する問題がみえてくる、そんなすてきな問いが。
ですから、人生や、愛や、美しさや、善悪といった本質的なことがらは、
いつまでも、問いのままでありつづけることでしょう。

けれど、それを考える手がかりは、わたしたちの目の前に浮かびあがってくるはずです。
その道すじに目をこらし、きちんと心にとめておきましょう。
それは、わたしたちがぼんやりしないように背中をつついてくれる、
かけがえのないともだちなのです。
そして、この本で交わされる対話のつづきを、こんどは自分たちでつくってゆきましょう。
それはきっと、こどもたちだけでなく、われわれおとなたちにも、
たいせつな何かをもたらしてくれるにちがいありません。

オスカー・ブルニフィエ

特別付録 重松清の書き下ろし掌篇「おまけの話」が本の最後についています。

したいこと、なんでもできる？

ううん。だって、
鳥（とり）みたいにとべないし。

そうだね、でも…

きみだって、ひこうきにのれば
飛べるよね？

自分が飛べるってこと、
鳥は知ってるのかな？

鳥には、今日は飛ばないぞ！ とか、
決めることもできるのかな？

なんで人間に生まれちゃったんだろう…
なんて思ってる？

うん。何したいのか ほんとに そうした

そうだね、でも…

自分じゃわかってるつもりでも、
まちがえてることってあるよね？

もし、ほんきで、だれかをころしたい
なんて思っちゃったら？

まよいながら、何かをするのは、まちがい？

ほんとにしたいと思ったら、
ひとを生きかえらせることもできるかな？

わかってて、
かったらね。

したいこと、なんでもできる？

ううん。だって、あめ1キロたべたら、びょうきになっちゃうでしょ。

そうだね、でも…

からだが文句言うたびに、
聞いてあげなきゃいけないの？

なんにもわるいことしてないのに、
ぐあいわるくなることもあるよね？

きみは、きみのからだのいいなり？

からだの声と、きみの気もち、
それからきみの判断力、
どれがいちばんあてになる？

いい子にしてたら、

そうだね、でも…

人間（にんげん）って、
そんなにいい子にしてられるもの？

恋（こい）をしても、
いい子でいられる？

できるとおもう。

いい子でいるってどういうことか、
いたずらしてみて、わかったりしない？

こういうときにはこうしなきゃ
って、どんなときでもすぐわかる？

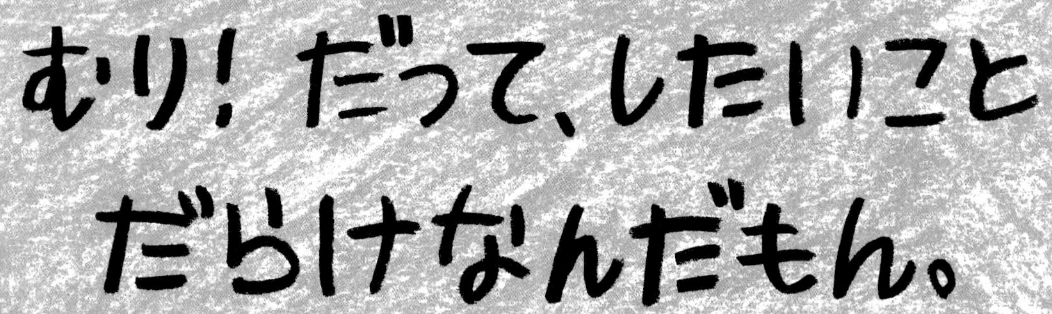
むり！ だって、したいこと
だらけなんだもん。

そうだね、でも…

自分に何ができるのか
100% わかってる？

なーんにもしたくない
って思うことだって、ない？

家にいたいし、旅行にも行きたい！
なんてこと、ある？

それでも何かえらばなきゃ、
なんにもできないままじゃない？

うん。つよくて勇気があったらね。

そうだね、でも…

きみのしたいことって、
あぶないことや、むずかしいことばっかり？

つよさと勇気さえあれば、
どんなことでもできるかな？

つよいひとのほうが、
よわいひとより自由なの？

あきらめるのにも、
勇気がいるよね？

したいことなんでもできるとき、それが、
ほんとに自由なときだ、って、きみは思ってる。

なのに、人生やまわりのみんな、そして自分自身が、そのじゃまをする。
ぼくらは人間だから、病気にもなれば、けがもする。
自分が何をしたいのか、いつでもはっきりわかってるわけじゃないし、
気が変わることだって、しょっちゅうだ。
計画をたてても、うまくいくかな…って不安になって、あきらめちゃったり。

何かをしようと思ったとき、きみは気づく。
やる気さえあればなんでもできるとはかぎらない、勇気や強さも必要なんだ、って。
それで、やっぱりむりだ…ってへこんで、やる気までなくしちゃうこともある。
あれもしたい！ これもしたい！ って、目うつりしてるときなんか、とくにそうだ。
でも、ほんものの自由を手に入れるには、
自分がほんとにやりたいことをえらびとる力も必要なんだ。

この問いについて考えることは、つまり…

…意志でどうにかなることとならないことを見きわめること。

…かなわない夢を追いかけて自分を見失ったりしないように気をつけること。

…そのときしたいと思ったこととよく考えてしようと決めたこと、ふたつをきちんと区別すること。

…自分の意志と気もちと判断、ひとつひとつにきちんと耳をかたむけること。

みんながいると、
自由(じゆう)にできない？

うん。だって、ああしろ　こうしろ

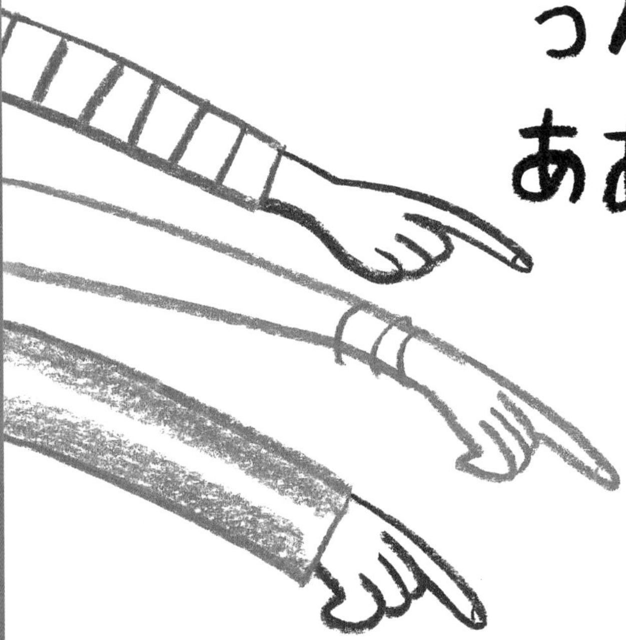

そうだね、でも…

それが正しくてためになることでも、きみの自由のじゃまになるの？

それを聞くか聞かないかは、きみの自由なんじゃない？

親も先生も、うるさいんだもん。

自分の道は、自分ひとりで見つけられるってこと？

きみにあれこれ言うのって、だれにでもできることかな？

ううん。わたしのこと だいじにしてくれるひとは、 わたしにつばさをくれるもの。

そのひとたちをたよりにしすぎて、
何かが見えなくなったりしない？

したいことしなさい、
でも、目のとどくところでね、
って言われたら？

自分で自分をだいじにして、
自信をもつのが先じゃない？

きらいな相手が、
つばさをくれることもあるよね？

うん。

だって、みんなとおなじにしないと、なかよくしてもらえないでしょ…

おなじことしなきゃ、なかよくなれない？

ちがうことしなきゃ、自由(じゆう)になれない？

みんなとおなじことしなきゃ、って、
みんなが言うの？　それとも、きみ？

むりしておなじにしなくても、
きみとみんなと、にてないかな？

そんなことないよ。みんながてきないこと、いっぱい

そうだね、でも…

ひとりのほうが、自由にできない？

みんなのせいで、
いやな目にあうことだって、ない？

いなきゃ
あるでしょ。

みんなの力が必要（ひつよう）でも、
自由（じゆう）って言えるかな？

きみひとりでもできるように、
みんながおしえてくれてもいいよね？

みんながいると、自由にできない？

そうだね、でも…

まわりのみんなは、
きみにとって、こわいだけ？

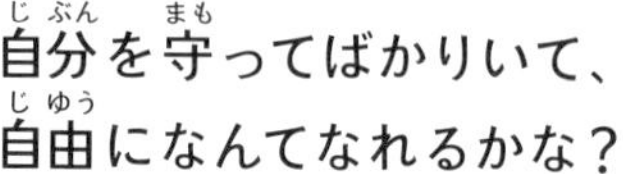

自分を守ってばかりいて、
自由になんてなれるかな？

だいじょうぶ。自分のことは自分で守れるから。

自分自身や、ひとをこわがる気もちからも、自分を守ることができる？

きみがみんなから身を守るなら、みんなもきみから身を守るべき？

まわりのみんなが、きみの自由にブレーキをかける。

ひとりだったら、もっといろいろ自由にできるはずなのに、ってきみは思う。
とくにおとなたちは、ことあるごとに、うるさく口をだしてくる。
親にあれこれ指図されて、きみはいらいらするかもしれない。
でも、そんな親の愛情が、きみの自信をささえてるんだ。

どんなことでも思いきってできたらなぁ…って、きみは夢みる。
でもその一方で、親とおんなじようにしなきゃ、って気もちもある。
おなじように考えて、おなじように生きていかなきゃ、って。
自分で決めた道を思いどおりに歩いてゆくなんてむり、って思ってるんだ。

友だちとだって、それはおなじ。
自分のしたいことをするのにも、あそぶのにも、きみにはみんなが必要なんだ。
それでも、ときには、心のおくから、こんな声が聞こえてくる。
――ほら、言いたいことちゃんと言えよ、みんなにあわせることなんかないさ。
そう、どうしたって、きみはきみ。
そのことに気づいて、まわりのみんなをもっと信頼してみたらどうだろう？

この問いについて考えることは、つまり…

…みんなといっしょに生きることのいいところといやなところを考えてみること。

…文句ばっかり言ってないで、みんなといっしょに何かしてみること。

…だれでもみんな、だれかのたすけが必要なんだって知っておくこと。

…ぼくの自由をじゃましてるのは、ぼくかもしれない、って気づくこと。

おおきくならなきゃ、自由（じゆう）になれない？

うん。だって、おとなにならなきゃ、人生おもいどおりにできないでしょ。

そうだね、でも…

おとなになったら、
だれの言うことも聞かなくていいの？

人生を思いどおりに生きてゆくには、
なんでも思いどおりになるわけじゃない
って気づくことも必要じゃない？

人生を自分の自由にできるのは、
何歳から、とか、決まってるの？

生まれてくるのも死ぬことも、
自分じゃどうにもできないのに、
人生を思いどおりになんてできると思う？

おおきくならなきゃ、自由になれない？

そうだね、でも…

そうういうものをひきうけて、
はじめて自由になれるんじゃない？

おとなは、いやいや責任もたされてるの？
それとも、もちたくてもってるの？

ううん。だって、おとなって、
責任とか心配ごととか
いっぱいあって、たいへんでしょ。

きみのかかえてる責任とか心配ごとは、
おとなのよりもかるいと思う？

おとなって、よけいな責任や心配ごとを
かかえこんでることもない？

そうおもう。これから いろんなこと考えられる

そうだね、
でも…

おとなって、みんなおなじこと言ったりしない？
それって、考えてない証拠じゃないの？

あれこれなやまず生きるほうが、
らくじゃない？

思いついたら、考えこまずに
動けるほうが、自由じゃない？

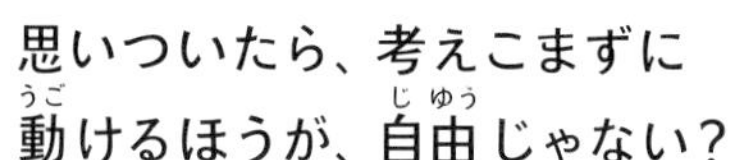

いろんなこと経験(けいけん)して、
ようになるだろうし。

そうだね、でも…

いつでもしたいようにするのが、自由？

それって、きみ自身がしたいこと？
親がさせたがってることじゃなくて？

すきなことしてるもん。

いま、すきなことばっかりしてて、
この先(さき)もずっと自由(じゆう)でいられるのかな？

人生(じんせい)って、
自由(じゆう)になるためのゲームみたいなもの？

うん。だって、おおきくなったらこわいものへるでしょ。

そうだね、でも…

こわいものがあると、自由じゃないの？

こわい気もちをのりこえて、
何もこわくなくなったら、自由？

こわい！ と思うその気もちが、
ぼくらを守ってくれたりしない？

おおきくなったら、
またべつのものがこわくなるかもよ？

ぼくは、親より不自由だ

って、きみは思ってる。だって、親がいなきゃ生きてゆくこともできないんだから。

そうはいっても、おとなだってらくじゃない。自分のことを自分で決められる分、
家族や仕事や社会にたいして、きみよりずっとたくさんの義務をかかえてるんだ。
だから、自分の背負う責任のことであたまがいっぱいになっちゃって、
たのしいことがあっても、思いっきりたのしめなかったりする。

ぼくらは、いろんなことを、心配したり、こわがったりする。
おとなになれば、それまでの経験をいかして、ものごとをしんちょうに見直したり、
何がどうしてこわいのか、冷静に順序だてて考えてみたりして、
そういう気もちをうまく整理できるようになるかもしれない。
だけど、ただ長く生きてきたってだけで、世のなかをわかった気になったり、
型にはまった考えにとりつかれてしまったり、そういうことだってある。

こどもは、おとなへの道を歩きながら、責任感を身につけてゆくべきだし、
おとなはおとなで、世界について、人生について、
自由なまなざしをもちつづけるために、
こどものころのいろんな気もちを、いつまでも、だいじにとっておくべきなんだ。

この問いについて考えることは、つまり…

…自由(じゆう)って何なのか？　それは、一生(いっしょう)かけて考えてゆくことなんだって、あたまに入れておくこと。

…自由(じゆう)のなかみは、年(とし)をとるにつれて変(か)わるんだって気づくこと。

…こわいからってあわてずに、何がどうしてこわいのか、よく考えてみること。

…明日(あした)のことを気にするまえに、いまを思いっきりたのしむこと。

ろうやのなかでも、自由でいられる?

ううん。だって、
行きたいところに
行けないんでしょ。

そのひとの自由をとりあげておいて、
みんなの自由を尊重しなさい、なんて言える？

罪をつぐなわずに逃げだしたら、
いまより自由になれるかな？

きみは？　どんなときでも、
行きたいところに自由に行ける？

禁止って、
自由をじゃまするだけのもの？

うん。だって、
想像したり、
考えたり、
夢みたり、
そういうのは
自由だもん。

そうだね、でも…

ろうやにとじこめられるのは、
からだだけ？

自由になるには、
現実から逃げるしかないの？

想像したり夢みたり、
それで人生を変えられる？

自由って、
夢のなかにしかないのかな？

いられる。自分(じぶん)の運命(うんめい)を
うけいれて、希望(きぼう)を
もちつづけられるなら。

そうだね、でも…

わるくないのにしかられても、
これがぼくの運命だから…
なんて、思える?

運命をうけいれるって、
ひとにあれこれ指図されるのを、
だまって聞くこと?

希望なんかもたないほうが、
自由になれると思わない?

運命を変えようとせずに、
希望をもちつづけることなんてできる?

むり。だって、社会から
追いだされちゃったん
だから。

つかまってるひとのほうが先に、
こんな世のなかゴメンだ！ って思ったのかもよ？

刑務所にいれるのは、
社会から追いだすため？

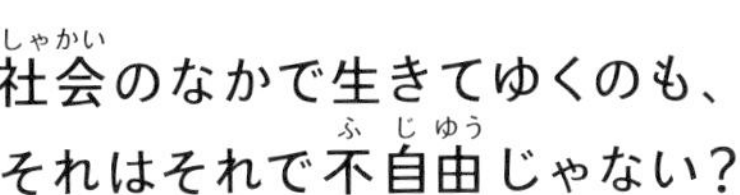

社会のなかで生きてゆくのも、
それはそれで不自由じゃない？

芸術家だって、自由にやりすぎ！
って、社会から追いだされたりするよね？

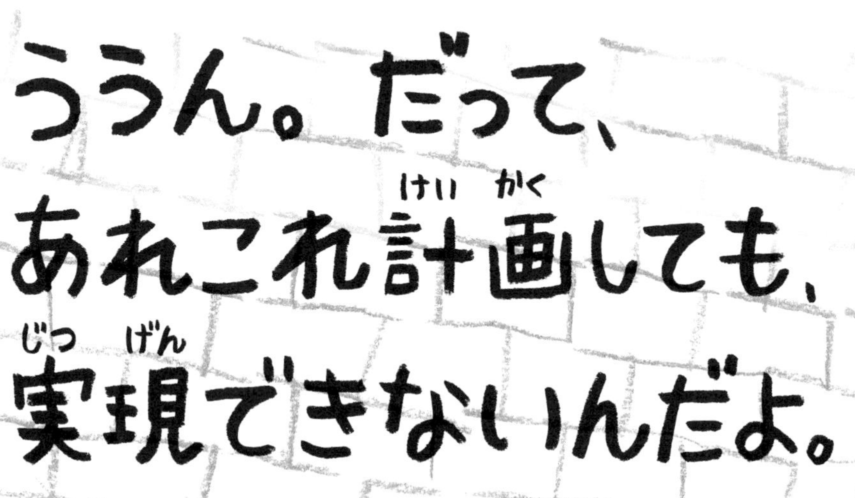
ううん。だって、
あれこれ計画しても、
実現できないんだよ。

ぼくたちのあたまのなかだって、
実現できてない計画でいっぱいだよね？

先のことなんか考えずに
いまを生きるほうが自由じゃない？

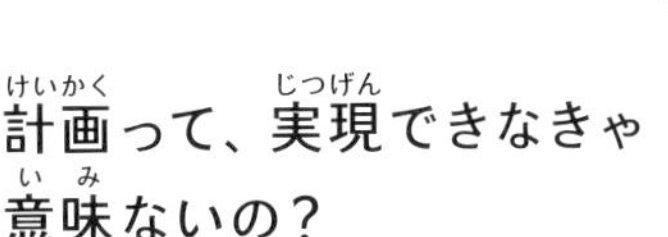

計画って、実現できなきゃ
意味ないの？

計画を行動にうつすとか、
何かしてなきゃ、自由って言えないの？

囚人は、とじこめられているから、

だれの目にも、自由をうばわれているように見える。

でも、からだをくさりにつなぐことはできても、心まではしばれない。
彼の心は自由自在に、何かをうみだしたり、壁の向こうへぬけだしたりできるんだ。

そうは言っても、毎日毎日、あれはダメこれはダメ、って禁止だらけじゃ、
考えだって、行き場をなくしてしまうだろう。
計画するのは自由でも、それを実現しようとすると、また壁があらわれる。
そうして彼は、希望をなくし、こんなはずじゃなかったのに…って、
いまの自分の状況に、息がつまりそうになる。

そんなとき、夢の力をかりて現実から逃げだせば、それで自由になれるだろうか。
ぼくは、ぼくの人生の主役なんだ、って思いだして、
自分の身に何が起きたのか、それをまっすぐ見つめ直さなくちゃ。
ぼくは自由だ、っていう意識、それは自分のこの手でつかみとるしかないんだから。

ぼくらひとりひとり、だれもが、言ってみれば、自分自身の囚人なんだ。
一瞬ごとに、息つくまもなく、自分の人生を決めてゆかなきゃならないんだから。

この問いについて考えることは、つまり…

…人生は、夢みたとおりになるわけじゃないって、あたまに入れておくこと。

…自分のしたこととそのせいで起きたこととに責任をもつこと。

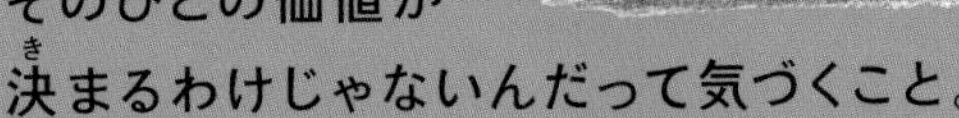

…何をしたかでそのひとの価値が決まるわけじゃないんだって気づくこと。

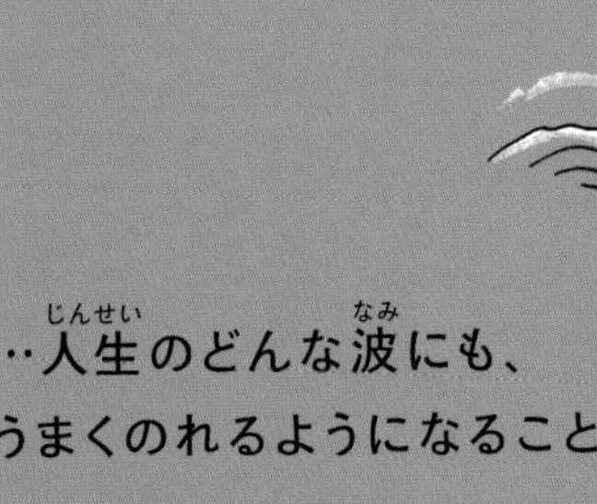

…人生のどんな波にも、うまくのれるようになること。

だれにでも、
自由(じゆう)に生(い)きる
権利(けんり)があるの？

うん。だって、自由は人権のひとつなんだから。

権利って、いつでも尊重されるもの？

人権を守りなさい！　って、
ぜんぶの国に言ってまわれる？

こどももおとなも、
おんなじ権利をもってるの？

義務のない権利なんて、ある？

ないとおもう。知らなかったり

おかねがあるのも、
それはそれで不自由だと思わない？

びんぼうなひとたちも
自由になれたらいいのに、って、
おかねもちは思ってるかな？

びんぼうだったり、なんにもすると、自由になれないから。

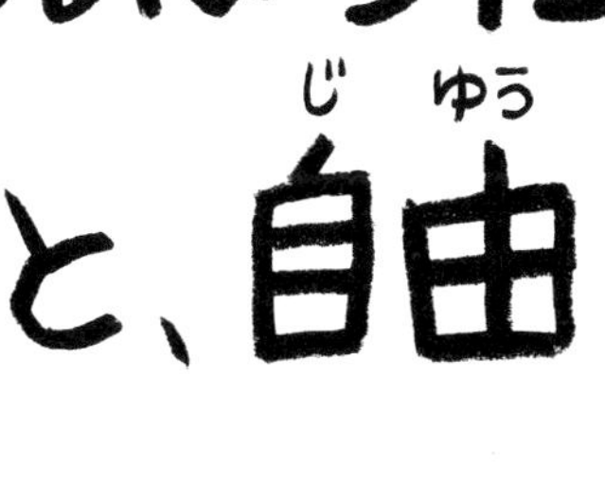

おかねがないと、
べんきょうできない？

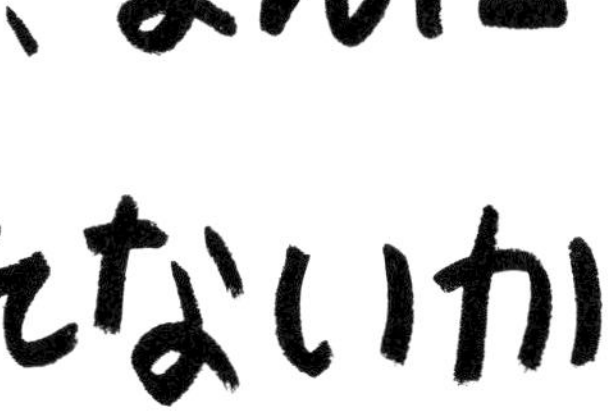

いろいろあたまにためないほうが、
自由にべんきょうできるんじゃない？

うん。みんなが
みんなの自由を
たいせつにできるなら。

そのまえに、自分の自由を
守るべきじゃない？

どんな自由でも、尊重するべき？

みんなの自由ときみの自由、
どっちがだいじ？

民主主義じゃ

ひとが自由に生きてゆくのを、
じゃますることなんてできるかな？

自由なひとは、
どこにいたって自由じゃない？

ない国では、ない。

民主主義の国だったら、
みんな平等に自由なの？

自由って、投票すれば手にはいる？
ニュースを読んだり、
自分で考えたりする必要はないの？

そのために
たたかう かくごが
あれば ね。

自由って、いっぺんに
ひょいっと手にはいるもの？

そのためにたたかう相手って、自分？
それとも、まわりのみんな？

自由って、いのちがけで
守るようなもの？

自由を守るためなら、戦争してもいいの？

ううん。そしたら、リーダーがめちゃくちゃに

リーダーの役目ってなんだろう？
世のなかのルールを守ること？
みんなの自由を守ること？

リーダーがいても、
めちゃくちゃになっちゃうこと、ない？

いなくなって、
なっちゃうもん。

めちゃくちゃやって生きるのって、
いけないこと？

ひとりひとりが、
自分自身(じぶんじしん)のリーダーになれないかな？

自由は、だれもがもっている権利だ。

人権宣言*では、そう言われている。
けれど、世界を見まわしてみれば、すぐわかる。
貧しさや無知から、自由を手に入れられないひとたちもいれば、
この権利がきちんと守られていない国もあるってことが。

でも、どんな立場にあろうと、どんな国に住んでいようと、
自由を手に入れるのは、かんたんなことじゃない。
もうこれからは、なんにもしなくてもずーっと自由、なんてこと、ありえない。
どんなひとにとっても、自由っていうのは、たたかいとるべきものなんだ。

それに、自由はあらゆるひとの権利だっていうこの考えを実現するには、
すべてのひとが、自分の自由に優先して、他人の自由を尊重してゆく必要がある。
それだけじゃない。自分の自由の一部をリーダーの手にゆだねて、
みんなの自由がきちんと守られるように、ルールを守ってゆかなきゃならない。
自由が権利である以上、そこには義務もつきものなんだ。

*1948年、国際連合は、すべてのひとが生まれながらに自由であり、平等な権利と尊厳をもつことを、世界中の国々と確かめあうため、「世界人権宣言」を発表しました。そこには、1789年、フランス革命のときに打ちたてられた「人間と市民の権利の宣言」（「フランス人権宣言」）の精神が受けつがれています。

この問いについて考えることは、つまり…

…不公平があるって事実をまっすぐ見つめて、それでもあきらめずにたたかうこと。

…自由は、だまっていてももらえるものじゃないんだって気づくこと。

…自分の自由だけじゃなく、みんなの自由の責任も、ぼくらはみんな負っているんだってあたまに入れておくこと。

…たたかうべきときには、きちんとたたかえるように心の準備をしておくこと。

自由って、なんの役にたつ？

そうだね、でも…

自分がしあわせになるため？
それとも、みんなをしあわせにするため？

したいことできたら、それでしあわせ？

しあわせになるのに。

不幸(ふこう)になるのをこわがってたら、
したいこともできなくならない？

自由(じゆう)だけどふしあわせ、
ってこともあるよね？

ふとってても　背がひくくても、
ぼくはぼく、っておもえるし、
みんなにもそう言える。

みんながきみをどう見るか、
きみ自身が決めること？

やせてたり、背が高かったり、
みんなの見た目も、気にしない？

見た目なんか気にしないほうが、
もっと自由になれるんじゃない？

みんなに認めてもらわなきゃ、
「ぼくはぼく」って思えない？

世界を前にすすませる あたらしい考えを さがすのに。

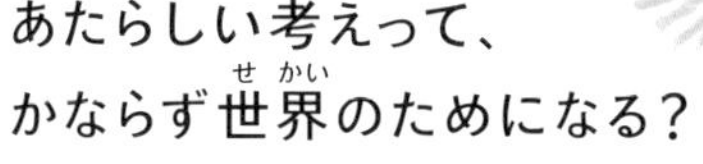

あたらしい考えって、
かならず世界のためになる？

そのまえに、
世界について知るべきじゃない？

それよりも、自分が一歩
前へふみだすのが先じゃない？

自分のしたい仕事をして、
意味のある人生を
おくるんだ。

仕事するのは、おかねのため？
それとも、人生の意味を見つけるため？

やりたい仕事ができなかったら、
人生って無意味かな？

仕事しなくちゃ、自由になれない？

人生の意味を見つけるのに、
なんにもしない時間だって
たいせつじゃない？

自分のかべをつきぬけて、ほんとのぼくになるために。

それよりも、
自分から自由になるのが先じゃない？

いろんな壁を見つけてゆくうち、
きみはきみになるんじゃない？

いまのままで、
きみはきみなんじゃない？

生きてゆくって、一瞬一瞬（いっしゅんいっしゅん）、
生まれかわってゆくことじゃない？

なんにも。

そうだね、でも…

死って何かがわかってくれば、
どう生きるかも見えてこないかな？

自分の人生を書きのこしたり、
死神とたたかったりするのは、
きみの自由なんじゃない？

どうせ、いつか死んじゃうし。

自分の意志で死をえらぶことはできないの？

死神は、生きる力よりつよいの？

自由は、たからものみたいに、だいじに守られている。

だれでもみんな、自由になりたいと思ってる。
その理由は、ひとによっていろいろだ。

自分のもってる力を花ひらかせたい、するべきことにめぐりあいたい、
自分のことをもっと知りたい、人生の意味を見つけたい…
ほとんどのひとは、自分自身のために自由をつかおうとする。
その一方で、すべてのひとのために自由はあるんだ、って思ってるひとたちもいる。
自由は、世のなかのため、世界中のみんなのためにつかわなくっちゃ、って。

かと思うと、自由なんて何の意味もない、って思ってるひとだっている。
自分の運命を変えることさえ、人間にはできないんだから、って。
でも、自由って、かならず何かの役にたたなきゃいけないものなんだろうか？
自由がある、ただそれだけで、すばらしい。そういうものじゃないだろうか？
…そう、ぼくらひとりひとりの人生が、そうであるように。

この問いについて考えることは、つまり…

…自由さえあれば、いたみがなくなるわけじゃないんだって知っておくこと。

…みんながあれこれ考えてきた大問題には、生きてゆくのに役だつヒントがつまってるんだって気づくこと。

…いつでも自由がいちばんだいじなわけじゃないんだって、あたまに入れておくこと。

…おかえしなんか期待せずに、行動できるようになること。

オスカー・ブルニフィエ

哲学の博士で、先生。おとなたちが哲学の研究会をひらくのをてつだったり、こどもたちが自分で哲学できる場をつくったり、みんなが哲学となかよくなれるように、世界中をかけまわってがんばってる。これまでに出した本は、中高生向けのシリーズ「哲学者一年生」(ナタン社)や『おしえて先生! 論理学』(スイユ社)、小学生向けのシリーズ「こども哲学」、「哲学のアイデア」、「はんたいことばで考える哲学の本」(いずれもナタン社)、「てつがくえほん」(オートルモン社)、先生たちが読む教科書『話しあいをとおして教えること』(CRDP社)や『小学校教育における哲学の実践』(セドラップ社)などなど、たくさんあって、ぜんぶあわせると35もの国のコトバに翻訳されている。世界の哲学教育についてユネスコがまとめた報告書『哲学、自由の学校』にも論文を書いてるんだ。

http://www.pratiques-philosophiques.fr

フレデリック・レベナ

いままでの人生でいちばんすごいと思ったのはどんなことか聞かれたら、フレデリック・レベナは、ダンスするひとたち、ダンスすることで自分を自由にできるひとたちだ、ってこたえるだろう。彼だってパーティーにはよばれるけど、いっつも、すわってるか、つっ立ってるか、とにかくじーっとしてて、ダンスの輪に入ろうとしたことはいちどもない。かちんこちんになって、冷や汗かいてるだけなんだ。そこで、「自由って、なんだと思う?」ってたずねられたら、彼はまよわずこう答えるだろう、「ダンスさ」って。でも、彼は彼で、毎日絵を描くことで自分を自由にしてきたし、彼の絵自体がのびのびしてきたこともあって、だんだん人生がらくになってきたような気もしてきてる。…ダンスしてるみんなにかこまれてるときは、また別かもしれないけどね。

西宮かおり

東京大学卒業後、同大学院総合文化研究科に入学。社会科学高等研究院(フランス・パリ)留学を経て、東京大学大学院総合文化研究科博士課程を単位取得退学。訳書に『思考の取引』(ジャン=リュック・ナンシー著、岩波書店)、『精神分析のとまどい』(ジャック・デリダ著、岩波書店)、「こども哲学」シリーズ10巻(小社刊)などがある。

きみは、気に入ってくれただろうか——？

ぼくは想像する。

このお話を読み終えて本を閉じたきみが、「おなか空いたぁ、なにか食べるものない？」とお父さんやお母さんに声をかける姿を。ふわあーっ、と大きなあくびをして、「そろそろ寝なさい、明日起きられないよ」とお父さんやお母さんに言われる姿を。本を放り投げて、トイレにダッシュする姿だって——そうだ、おしっこも、とてもだいじな「不自由」だな。

そんな姿を想像すると、もう四十四歳のおじさんになったぼくは、うれしくてたまらない。ゆっくり「不自由」と付き合っていきなよ、と声をかけたくてしかたない。時にはいろんな「不自由」が窮屈だったり、うっとうしかったり、文句をつけたくなったりしても、生きることを嫌いにならないで。哲学というのは、生きることを好きになるためのヒントなんだと、ぼくは思うから。

お別れだ。

でも、本を開けば、またぼくたちは会える。

その日を楽しみに——おしっこをガマンしてたきみ、ほら、早くトイレに行きなよ。

しげまつ・きよし——１９６３年生まれ。早稲田大学教育学部卒。出版社勤務を経て執筆活動に入る。ライターとして幅広いジャンルで活躍し、９１年に『ビフォア・ラン』で作家デビュー。９９年『ナイフ』で坪田譲治文学賞、『エイジ』で山本周五郎賞、２００１年『ビタミンF』で直木賞、１０年『十字架』で吉川英治文学賞、１４年『ゼツメツ少年』で毎日出版文化賞を受賞。著書に『流星ワゴン』『疾走』『きみの友だち』『青い鳥』『とんび』『希望の地図』『きみの町で』『木曜日の子ども』など多数。

そんな「不自由」を楽しんで、味わって、生きていける「自由」が、俺にはあるから。

おおい、おおい、聞こえるか？　見えるか？　悪いけど、この子が大きくなったら、おまえのことは『自由』の悲しい使い方の例」として話してやるよ。怒るなよ。怒らないよな、おまえは。おまえはとても優しい奴で、俺たちは誰にも負けないコンビの、親友だったんだからさ。

空から赤ん坊に目を移した。生まれたばかりの赤ん坊は、まだ目はよく見えていないはずなのに、まっすぐにSを見つめていた。Sもそのまなざしを受け止めて、にっこり微笑んで、生きろよ、生きてくれよ、と心の中で伝えた。

赤ん坊が急に泣きだした。Sはあわてて「よしよし、よしよし」とあやし、その口ぶりやしぐさがおかしくて、奥さんは声をあげて笑った。

ほら――「不自由」って、そんなに悪くない。

Sが書いた初めてのお話が本になったのは、同じ年の夏の終わりだった。

その年からずっと、Sはお話を書きつづけている。お話の中身はそれぞれ違っていても、根っこにあるのは、いつも同じ――「不自由」もあんがい気持ちいいものだよ、ということばかり書いてるんだな、と自分で思う。

いちばん新しいお話が、もうすぐきみが読み終わる、このお話だ。

新米パパのSは、おっかなびっくりの手つきで赤ん坊を抱く。赤ん坊の体は想像していたよりもずっとやわらかで、ずっと温かい。体が小さいぶん心臓の鼓動が驚くほど大きく、はっきりと伝わる。どくん、どくん、どくん……生きてるよ、生きてるよ、生きてるよ、と世界中に教えるように、鼓動は刻みつづける。

Sは赤ん坊を抱っこしたまま奥さんを振り向き、照れ隠しに笑いながら「これから大変だよなあ」と言った。

「そうよ、しっかりしてよ、もうお父さんなんだから」

奥さんも笑いながら、Sを軽くにらんだ。

「うん……わかってる……」

Sは窓から空を見上げた。ひさしぶりに亡くなった友だちのことを思いだした。

俺もパパになっちゃったよ、育児とか親の責任とか、これからいろいろと新しい「不自由」を背負い込むんだろうなあ、と苦笑交じりに首をかしげた。

おおい、見えるか、空の上から、俺の赤ちゃんが見えるか？

パパになった俺が見えるか？

おまえは死を選んで、おまえを苦しめてきたものから解放されて、永遠の「自由」を手に入れたのか？　でも、それは、すごく悲しい「自由」なんじゃないのか？

俺は、まだしばらく——少なくとも、この子がおとなになるまでは、こっちにいるよ。こっちの世界には嫌な「不自由」もたくさんあるけど、気持ちいい「不自由」だっていくつもあるんだ。

人間って「不自由」だよなあ。

Sは駅から自宅に帰りながら思った。

眠りたくないのに、どうしようもなく眠くなり、なにも食べずにいたいのに、どうしようもなくおなかが空いて、人前で泣くのは恥ずかしいとわかっているのに、どうしようもなく涙が流れてしまう。

ほんとうに「不自由」だ。人間は「自由」に生きることができて、「自由」に死ぬことだってできるはずなのに、どうしてこんなに「不自由」なんだろう……。

でも、ぐっすり眠ったあとは、頭がすっきりとする。

おなかがいっぱいになったあとは、自然と頬がゆるむ。

そして、思いきり泣いたあとは、まるで心がシャワーを浴びたみたいにさっぱりして、足取りが軽くなって、もう一度がんばろうか、という気にもなってくる。

この「不自由」さって、気持ちいいなあ。

Sはよく晴れた空を見上げて、気持ちいいなあ、気持ちいいなあ、と歌うように繰り返しながら、家路をたどったのだ。

それから二年と少しの月日が流れた。

Sは二十八歳になり、父親になった。亡くなった友だちの命日のちょっとあと、桃の花が咲き誇る季節に、赤ん坊が生まれたのだ。

せようとしていたのだ。

心のどこかがピンと張り詰めていたのだろう、お別れの儀式がすべて終わったあとも、ちっとも空腹を感じなかったし、ちっとも眠たくならなかった。このままずっと、なにも食べずに徹夜をつづけることもできそうなほどだった。

実際、その夜もＳは眠らなかった。なにも食べなかった。涙も出ない。悲しみの感情が高ぶってくれない。もしかしたら、赤く充血した目で徹夜をつづけることや、頬がこけるほど食事を絶つことで、Ｓはせめてものお詫びを彼に伝えたかったのかもしれない。

でも、三日目の朝、いままで溜まっていた眠気がいっぺんに襲ってきた。服を着たまま、部屋の床に倒れ込んで眠った。目が覚めると、まだ時刻は正午にもなっていなかった。二、三時間しか眠っていなかったのに、不思議と頭はしゃんとしていた。起き上がってひと息つくと、今度は猛烈におなかが空いてきた。ふらふらと家を出て、歩いて数分の最寄り駅まで向かい、駅前の立ち食いそばのお店に入って、てんぷらそばを食べた。卵も入れてもらった。おにぎりも頼んだ。熱々のそばを勢いよく啜って、温かいものがおなかに広がった瞬間――湯気が急に目に染みた。亡くなった友だちの元気だった頃の姿が次々に浮かんできて、ふと気づくと、Ｓは涙をぼろぼろ流して泣いていた。まわりの客がびっくりした顔でこっちを見ていたけど、それを気にする余裕もなく、Ｓは泣きながらそばを食べつづけた。

おだやかな性格で、口数は決して多くなかったが、そのぶん誠実な男だった。二年前に結婚をしたときには、たくさんの友人や同僚に心から祝福され、派手なことが嫌いな彼は終始はにかんで、でもうれしそうに笑っていた。

そんな彼が、奥さんをのこして、自ら命を絶った。深夜まで降っていた雨があがった、夜明け前のことだった。

電話で彼の死を知らされてから、斎場で永遠のお別れをするまで――いや、彼のなきがらが灰になってからも、Ｓの胸からは「どうして……」という思いが消えなかった。その思いはひるがえって、自分を責めるナイフにもなった。

死を選ぶまで追い詰められていた彼に、Ｓはなにもできなかった。そもそも、彼がそこまで苦しんでいたのだということさえ知らなかった。ぽっかりと胸に穴が空いたような、悲しもうにも悲しめない、涙すら流せない別れだった。

お通夜から告別式が終わるまで、まるまる一日、一睡もしなかった。斎場で出された料理にはほとんど箸をつけずに酒ばかり飲んでいた。飲んだそばから醒めていく酔えない酒をあおりながら、まるで自分を守る呪文のように、あいつは勝手に死んだんだ、と心の中でつぶやいていた。

この国の、この社会は「自由」だ。窮屈なことや押しつけられることや理不尽なことはたくさんあっても、誰もが「自由」だ。その「自由」の果てに、自分の命を自分で断ち切る「自由」だって――あるんだよ、とあの日のＳはなんとか自分自身を納得さきみに読んでもらう『おまけの話』も、これで最後だ。いくつものテーマでお話を書いてきた。とても難しいテーマばかりだった。きみに気に入ってもらったお話もあるかもしれないけど、逆に、なんだよこれ、と放り投げられてしまったお話も、きっとあるだろう。つまらなかったお話が多かったとすれば、ごめん。気に入ってくれたお話のほうが多かったのなら、こっそりガッツポーズをつくらせてくれ。でも、とにかく、すべてのひとに――読んでくれてありがとう。

最後のお話だ。

テーマは「自由ってなに?」――ラストにふさわしい、とびきり難しくてヤッカイなテーマを与えられた。

ぼくにとって、とてもたいせつなお話を書こうと思う。「自由」について考えるための、「不自由」についてのお話だ。『こども哲学』の「おまけの話」としては、ちょっとおとな向きかもしれない。でも、いまはこどものきみが、もう少し大きくなってから読み返してくれることを祈って、信じて、書きたい。

これは、Sという男のお話である。

元号が「昭和」から「平成」に変わった年の、冬の終わりのことだ。Sは二十六歳の誕生日を間近に控えていた。

友だちが、亡くなった。

大学時代から誰よりも親しく付き合ってきた親友だった。

フランスでは、自分をとりまく社会についてよく知り、自分でものごとを判断できる人になる、つまり「良き市民」になるということを、教育のひとつの目標としています。
そのため、小学校から高校まで「市民・公民」という科目があります。
そして、高校三年では哲学の授業が必修となります。
高校の最終学年で、かならず哲学を勉強しなければならない、とさだめたのは、かの有名なナポレオンでした。およそ二百年も前のことです。
高校三年生の終わりには、大学の入学試験をかねた国家試験が行なわれるのですが、ここでも文系・理系を問わず、哲学は必修科目です。
出題される問いには、例えば次のようなものがあります。
「なぜ私たちは、何かを美しいと感じるのだろうか?」
「使っている言語が異なるからといって、お互いの理解がさまたげられるということがあるだろうか?」
これらの問題について、過去の哲学者たちが考えてきたことをふまえつつ、自分の意見を文章にして提示することが求められるのです。
当たり前とされていることを疑ってみるまなざしと、ものごとを深く考えてゆくための力をやしなうために、哲学は重要であると考えられています。

編集部

こども哲学 自由って、なに?

2007年3月30日 初版第1刷発行
2016年2月10日 初版第3刷発行
2020年4月1日 第2版第1刷発行

文 オスカー・ブルニフィエ
訳 西宮かおり
絵 フレデリック・レベナ
日本版監修 重松 清
日本版デザイン 吉野 愛
描き文字 阿部伸二(カレラ)
編集 鈴木久仁子 大槻美和(朝日出版社第2編集部)
発行者 原 雅久
発行所 株式会社朝日出版社
〒101-0065 東京都千代田区西神田3-3-5
TEL. 03-3263-3321 / FAX. 03-5226-9599
http://www.asahipress.com
印刷・製本 凸版印刷株式会社

ISBN978-4-255-01175-2 C0098